Chiens et chats

Dominique Renaud

Édition : Brigitte Faucard
Illustrations : Nicolas Corpet
Conception couverture et mise en page : Christian Blangez

© 2006, SEJER
ISBN : 978-209-031507-3
© 2006, Santillana Educación, S. L.
Torrelaguna, 60-28043 Madrid
ISBN : 978-84-294-0878-2

1. L'histoire, les personnages.

Observe les illustrations.

a. Qui est le personnage principal ? Un garçon ou une fille ?

....

Devine son nom :
Après le déjeuner, il boit du café ou du ...., comme les Anglais.
Lettre (voyelle) n° 15 de l'alphabet français : ....
Son nom est : ....
b. D'après toi, c'est une histoire de chiens... ou de chats ?

....

2. Qu'est-ce que tu aimes ?

a. la ville ☐

b. la campagne ☐

c. les deux ☐

3. Quels animaux domestiques tu aimes ?

a. les chiens ☐

b. les chats ☐

c. les oiseaux ☐

d. les poissons ☐

4. Chiens et chats.

Relie chaque animal aux phrases qui lui correspondent.

a. le chien ●

b. le chat ●

● Son cri est « miaou ».
● Il est fidèle.
● Il aime les os.
● Il est indépendant.
● Il aime le lait.
● Son cri est « ouah, ouah ».

Présentation

Théo :
il a douze ans.
Il est en 6e.

Les parents de Théo :
ils ont un enfant
et travaillent
tous les deux.

Spoutnik :
c'est le chien de Théo.

Madame Germaine :
c'est la voisine de Théo.
C'est une vieille dame.
Elle habite seule.
Elle a un gros chien.

L'agent de police :
il n'est pas très grand
et n'a pas beaucoup
de cheveux.

Soudain, j'entends un boum !

Chapitre 1

Boum !

Salut ! Je m'appelle Théo. J'ai douze ans et je suis au collège, en 6e. Je vais te raconter une histoire vraie. Tu es prêt ?

Je regarde ma montre. Il est midi et quart. C'est l'heure du déjeuner. Je sors de l'école. Je monte dans le bus. J'arrive à la maison. Elle n'est pas très loin. C'est une jolie villa de campagne. Il y a cinq pièces, deux salles de bains, un grand salon et une piscine. La maison se trouve dans le Sud-Est de la France, à cinquante kilomètres de Marseille. Mes parents sont au travail, mais j'ai les clés.

Je traverse le jardin et j'arrive devant la porte d'entrée de la maison. Un camion passe dans la rue. Soudain, j'entends un « boum !». C'est comme un coup de carabine, mais ici, la chasse est interdite.

Ici, c'est calme : pas de bruit, seulement les petits oiseaux ou parfois… un avion très haut dans le ciel. Il n'y a pas de moto, pas de scooter, et pas beaucoup de voitures. C'est super !

villa : une maison avec un jardin.
la chasse est interdite : les animaux qui vivent à la campagne (lièvres, faisans, etc.) ne peuvent pas être tués, assassinés.

Je pose mon cartable, je me retourne et regarde en direction de l'entrée du jardin. Il y a de la fumée. La boîte aux lettres fume !

J'ouvre la boîte avec ma clé. Le courrier brûle, il y a des morceaux de carton rouges partout. Je sais ce que c'est : un pétard. Moi aussi je joue avec les pétards, mais je ne les jette pas dans les boîtes aux lettres !

Je regarde ma montre : une heure moins le quart. L'école recommence à treize heures trente. J'ai faim. Je dois manger... Mais, qu'est-ce que c'est ?

Près de la porte du jardin, sur le sol, il y a une enveloppe. Je l'ouvre et je lis : « Je n'aime pas les chiens. ». C'est tout. Il n'y a pas de signature.

Mon chien ! Où est mon chien ? Ah, c'est vrai ! Il est à l'intérieur. Papa l'enferme la journée parce qu'il aboie. C'est un petit chien. Un caniche tout noir. Il s'appelle Spoutnik. Il est petit, mais il court vite.

---

je me retourne : je change mon corps de position pour regarder vers la porte du jardin.

fumée : *Quand il y a un incendie, il y a beaucoup de fumée.*

boîte aux lettres : à la porte des maisons, boîtes en métal ou en bois pour mettre les lettres. *Je trouve la lettre de mon ami dans la boîte aux lettres.*

fume : fait de la fumée.

brûle : est en feu.

des morceaux : fragments. *Je coupe le gâteau en morceaux.*

un pétard : petite quantité d'explosif sans danger.

une enveloppe : *J'écris une lettre, je la mets dans une enveloppe et je la poste.*

signature : *À la fin de la lettre, je dis au revoir et je mets ma signature.*

aboie : quand le chien aboie, il fait « ouah, ouah ».

Près de la porte du jardin, sur le sol, il y a une enveloppe.

Je monte à la maison, j'ouvre la porte... Oh ! Mon Spoutnik ! Tu es là !

Spoutnik est toujours content de me voir. Quand j'arrive, il a une balle de tennis dans sa gueule. Il me regarde et me demande avec ses petits yeux : « Tu viens jouer avec moi ? ».

Mais aujourd'hui, ce n'est pas le jour.

Qu'est-ce que je fais ? Est-ce que j'appelle papa ? Je lui dis : « Papa, tu sais, il y a quelqu'un qui n'aime pas Spoutnik. ». Non, ce n'est pas ça : « Il n'aime pas Spoutnik, il n'aime pas les chiens et il pose des pétards dans les boîtes aux lettres ! ».

Mais papa, qu'est-ce qu'il peut faire ? À cette heure-là, il travaille. Il ne peut pas venir ici. Bon, je ne téléphone pas. Je vais retourner à l'école, enfermer Spoutnik dans la maison ; et à seize heures, à la sortie des classes, je vais à la police et je montre la lettre. Je vais dire aux policiers que quelqu'un veut tuer mon chien.

gueule : bouche du chien.

tuer : assassiner, provoquer la mort.

Il me regarde et me demande avec ses petits yeux :
« Tu viens jouer avec moi ? ».

1. Choisis la bonne réponse.

a. Théo a *douze ans – onze ans – dix ans.*

b. Il habite dans *un appartement – un immeuble – une maison.*

c. L'école recommence *à midi – à treize heures – à treize heures trente.*

d. Théo a *un chien – un chat – un chiot.*

e. Théo entend *une explosion – de la musique – un cri.*

2. Remets l'histoire dans l'ordre.

a. Théo voit de la fumée.

b. Théo arrive à la maison.

c. Il pose son cartable.

d. Il arrive à la maison, ouvre la porte.

e. Il ouvre l'enveloppe.

f. Il ouvre la boîte aux lettres.

g. Théo regarde sa montre. Il est midi et quart.

3. Vrai ou faux ?

	V	F
a. Théo a un gros chien.	☐	☐
b. Théo revient de l'école.	☐	☐
c. Théo déjeune à la maison.	☐	☐
d. Théo téléphone à son père.	☐	☐
e. Il va à la police à la sortie des classes.	☐	☐

4. Complète avec : *fumée, aboie, bus, police, calme, tuer, anonyme.*

a. Je sors de l'école, je monte dans le _____.

b. Ici, c'est _____ : pas de bruit, seulement les petits oiseaux.

c. Papa enferme Spoutnik la journée parce qu'il _____.

d. Il y a de la _____. La boîte aux lettres fume.

e. Dans mon jardin, je trouve une lettre_____.

f. À la sortie des classes, je vais à la _____.

g. Je dis au policier que quelqu'un veut _____ mon chien.

Jeune homme, vous désirez ?

Chapitre 2

Au commissariat

– Jeune homme, vous désirez ?

L'homme qui me regarde porte un uniforme. Il n'est pas très grand et n'a pas beaucoup de cheveux. Il est assis derrière un bureau. Il écrit un texte sur son ordinateur.

– Bonjour, monsieur. Je veux parler à un agent de police.

– Je suis agent de police. C'est pour quoi ?

– C'est à propos de Spoutnik, mon chien… Non, pas exactement : c'est à cause d'un pétard… enfin, je veux dire, d'une lettre anonyme…

L'agent me regarde d'une drôle de façon. Ça commence mal.

– Bon, dit-il. D'abord, tu t'appelles comment ?

– Théo. Théo Courrans.

– Et tu habites où ?

– Rue des écoliers. Au 17. Vous connaissez cette rue ?

lettre anonyme : une lettre sans nom, sans signature.

d'une drôle de façon : d'une manière étrange, anormale. *J'ai de mauvaises notes. Mon père les lit et il me regarde d'une drôle de façon.*

– Un peu. Tu me dis que tu as un chien…

– Oui. Spoutnik, il s'appelle.

– Et ton chien a un problème ?

– Non. Pour le moment, non.

– Comment, non ?

– Je vous explique : ce midi, je rentre de l'école pour déjeuner à la maison. Je rentre tous les midis car je n'aime pas la cantine du collège. Je mange chez moi, j'écoute un peu de musique et je joue avec mon chien.

– Bon. Ensuite ? dit le policier, impatient.

– Je suis devant la porte d'entrée. J'entends une explosion dans le jardin. Ça vient de la boîte aux lettres. Elle est près de la porte du jardin. Il y a de la fumée…

– Et tu me dis que c'est un pétard !

– Oui, monsieur l'agent. C'est un pétard ; comme les pétards du 14 juillet.

– C'est peut-être un copain à toi qui veut te faire une blague.

– C'est possible ; mais ce n'est pas seulement le pétard, je lui réponds ; il y a aussi cette lettre…

L'agent prend la feuille que je lui donne et lit ce qui est écrit. Puis il lève les yeux sur moi.

cantine : restaurant pour les élèves du collège.

14 juillet : en France, c'est le jour de la Fête nationale.

une blague : une action, une histoire pour rire. *Mon frère aime faire des blagues. Nous rions beaucoup avec lui.*

L'agent prend la feuille que je lui donne et lit ce qui est écrit.

– Tes parents, ils savent ?

– Non. Ils reviennent ce soir du travail.

– Tu as souvent des problèmes avec tes voisins ?

– Non, jamais. Ils sont très gentils.

– Ils ont des chiens ?

– Il y a cinq chiens dans notre rue. Spoutnik, c'est le plus petit. Mon pauvre Spoutnik ! Je ne comprends pas pourquoi…

– Ce n'est pas Spoutnik, le problème ; ce sont les chiens de ton **quartier**. Est-ce qu'il aboie, ton Spoutnik ?

quartier : partie d'une ville. *J'habite dans le même quartier que mon amie Léa.*

– Un peu ; mais pas plus qu'un autre.

– Et la nuit, tu le laisses dans le jardin ?

– Non. Papa ne veut pas. Il dort dans le garage.

– Et les autres chiens, ils aboient ?

– Oh oui ! Plus que Spoutnik. Il y a un gros chien noir, il est très méchant. Il aboie même la nuit. Maman le déteste parce qu'elle se réveille à cause de lui.

– À qui il appartient ?

– À un vieux monsieur, pas aimable.

– Alors, finalement, tes voisins ne sont pas tous « très gentils » !

– C'est le seul. Il habite au bout de la rue. Il n'a pas de femme, pas d'enfant. C'est un célibataire.

– Et les autres chiens, ils sont gentils ?

– Oh oui ! Mes amis et moi, nous jouons souvent avec eux.

– Bien, dit l'agent. Je note ton adresse et ton numéro de téléphone. Toi, tu montres la lettre à tes parents. Tu téléphones ce soir à tes voisins.

il aboie même la nuit : il aboie aussi la nuit.

appartenir à quelqu'un : être à une personne. *C'est mon livre, je suis le propriétaire de ce livre, il m'appartient.*

Non. Papa ne veut pas. Il dort dans le garage.

1. Entoure la bonne réponse.

a. Théo est *à l'école – au commissariat – à la poste.*

b. Il parle avec *un agent de police – un médecin – un militaire.*

c. Il est *seul – avec son chien Spoutnik – avec son père.*

d. Il donne *son numéro de téléphone – le carnet de vaccination de son chien – sa carte d'identité.*

e. Il dit que son chien dort *dans le jardin – dans sa chambre – dans le garage.*

2. Réponds.

a. Qui n'est pas très grand et n'a pas beaucoup de cheveux ?
....

b. Que fait Théo lorsqu'il rentre de l'école le midi ?
....

c. À cette heure-là, où sont les parents de Théo ?
....

d. Est-ce que Théo a des problèmes avec ses voisins ?
....

e. Est-ce que ses voisins ont des chiens ?
....

3. Vrai ou faux ? V F

a. Théo parle avec une jeune femme en uniforme. ☐ ☐

b. Théo montre une lettre. ☐ ☐

c. Le chien de Théo dort à l'extérieur. ☐ ☐

d. Théo joue avec les chiens des voisins. ☐ ☐

e. En général, les voisins de Théo sont « très gentils ». ☐ ☐

4. Relie les phrases aux personnages.

a. Tu t'appelles comment ? •

b. Jeune homme, vous désirez ? •

c. Théo Courrans. •

          • Théo

d. Ton chien a un problème ? •

          • l'agent de police

e. J'entends une explosion dans le jardin. •

f. Tu me dis que c'est un pétard ? •

g. Il y a cinq chiens dans notre rue. •

Vous allez bien, madame Germaine ?

Chapitre 3

Un courrier pas comme les autres

Il est dix-huit heures. Mes parents et moi, nous sommes près de la porte du jardin, devant la boîte aux lettres. Je raconte l'histoire de l'explosion et je montre la lettre à papa. Je parle également de ma visite au bureau de police. Papa est content de moi mais il est un peu inquiet. Il n'aime pas cette lettre anonyme. C'est un quartier tranquille. Ici, les relations entre voisins sont bonnes. Alors, pourquoi cette lettre ?

Nous allons tous les trois chez la voisine d'en face. C'est une vieille dame. Elle habite seule. Elle porte des lunettes et une écharpe grise. Elle a un gros chien. C'est un chien de garde, mais il est vieux, lui aussi. Il perd ses poils et ne bouge pas beaucoup !

– Vous allez bien, madame Germaine ? dit mon père.

---

une écharpe : vêtement. *En hiver, je mets mon écharpe autour de mon cou. Comme ça, je n'ai pas froid.*

un chien de garde : chien qui protège une maison.

il perd ses poils : ses poils tombent, il a moins de poils.

– Pas trop ! répond notre voisine. J'ai mal aux jambes, au dos, aux mains… enfin, c'est l'âge ! J'ai quatre-vingt-cinq ans le mois prochain ; mes enfants vont venir à la maison fêter mon anniversaire. Et vous, comment ça va ? Et toi, Théo, tu travailles bien à l'école ?

– Oui, madame.

– C'est bien. Vous voulez quelque chose, peut-être ? demande-t-elle à maman.

– Nous voulons juste vous poser une question : vous avez du courrier dans votre boîte aux lettres ?

– Je ne sais pas : nous allons regarder cela ensemble. Voilà la clé.

Maman ouvre la boîte. À l'intérieur, il y a beaucoup de courrier : de la publicité, des **magazines**, du courrier personnel, et puis une enveloppe blanche. Il n'y a pas de nom, pas de **timbre**, pas d'adresse.

– Est-ce que je peux ouvrir cette enveloppe, madame Germaine ?

– Vous pouvez même lire ce qu'il y a à l'intérieur car je vois mal.

Maman ouvre l'enveloppe. Il y a une feuille avec seulement quatre mots : « **À mort les chiens** ! ».

---

magazine : revue. *Je lis des magazines sur les chanteurs et les acteurs à la mode.*

timbre : petit papier adhésif. *J'achète un timbre, je le mets sur l'enveloppe et j'envoie ma lettre.*

à mort les chiens : quelqu'un veut tuer les chiens.

Maman regarde papa. Elle relit la phrase à voix haute.

Ma mère regarde papa. Elle relit la phrase à voix haute. Elle dit à madame Germaine que nous aussi nous avons une lettre de ce type.

— Quelqu'un veut nous faire peur, dit-elle.

— Ça fait trente ans que j'habite ici, répond la vieille dame. C'est la première fois que quelqu'un veut faire du mal à mon chien !

Cela, en effet, est difficile à croire : le chien de madame Germaine est très gentil ; de plus, il n'aboie pas. Il dort tout le temps, et le soir il reste à la maison.

faire peur : provoquer la peur. *Les films d'horreur me font peur.*
faire du mal : provoquer le mal, la douleur.

– Il faut le dire à la police, dit madame Germaine.

– La police le sait, répond papa. Nous allons voir les autres voisins et parler ensemble de ce problème.

Vers vingt heures, nous revenons à la maison. Papa a dans sa poche cinq lettres de menaces. De plus, dans les boîtes aux lettres des propriétaires, on trouve des objets curieux : un piège à souris, un sachet de poison, une boîte d'allumettes… et un pétard chez nous !

– Maintenant, c'est sûr, dit papa : ce n'est pas Spoutnik le problème, ce sont les chiens du quartier. Demain, c'est samedi. Nous invitons les voisins chez nous pour parler de cette histoire. Nous sommes cinq familles. Il y a cinq chiens dans cette rue. Nous voulons les garder avec nous. Il faut donc faire quelque chose ensemble.

– Tu oublies le vieux monsieur du bout de la rue, je dis à mon père.

– Je ne l'oublie pas. Mais c'est un homme antipathique. Il ne répond jamais quand je sonne à sa porte.

– Il ne parle à personne et ne sort jamais de chez lui.

– Comment le sais-tu ?

ensemble : l'un avec l'autre, les uns avec les autres.

lettre de menaces : lettre écrite pour faire peur à une personne.

un piège à souris : objet qui sert à chasser les souris.

un sachet de poison : petit sac qui contient une substance toxique.

sonner : appuyer avec le doigt sur un bouton qui se trouve à la porte d'entrée d'une maison pour annoncer sa présence. *Quelqu'un sonne à la porte. Je vais ouvrir.*

Dans les boîtes aux lettres, on trouve des objets curieux :
un piège à souris, un sachet de poison, une boîte d'allumettes...

– Par le facteur.

– Mais il fait comment pour vivre ?

– Une fois par semaine, un employé du supermarché lui apporte ses courses dans une camionnette.

– En plus, son chien me fait peur, ajoute maman. Il est énorme !

– Moi, je suis sûr qu'il sait quelque chose, je dis à mon père.

– Pour le moment, nous ne pouvons pas l'affirmer, dit maman. Il faut attendre et préparer un plan de défense.

– Ou d'attaque ! corrige papa.

le facteur : personne de la poste qui met le courrier dans les boîtes aux lettres.

1. Coche la bonne réponse.

a. La famille de Théo va :

☐ chez la voisine d'en face.

☐ chez le voisin d'en face.

☐ chez leur cousine.

b. Mme Germaine est :

☐ une jeune femme.

☐ la mère de Théo.

☐ une vieille dame.

c. Madame Germaine a :

☐ des enfants.

☐ une sœur.

☐ un mari.

d. Le chien de Mme Germaine est :

☐ petit.

☐ gentil.

☐ méchant.

2. Relie les phrases aux personnages.

a. Il est antipathique. ●

b. Elle porte une écharpe grise. ●

c. Elle a mal aux jambes, au dos, aux mains.

● Mme Germaine

●

d. Elle porte des lunettes. ●

● le chien
de Mme Germaine

e. Il dort tout le temps. ●

● le vieux monsieur

f. Il ne répond jamais quand on sonne à la porte. ●

**3. Qu'y a-t-il dans la boîte aux lettres de Mme Germaine ?
Coche les bonnes réponses.**

a. ☐ un paquet

b. ☐ de la publicité

c. ☐ des magasins

d. ☐ des magazines

e. ☐ du courrier

f. ☐ une enveloppe jaune

g. ☐ une enveloppe blanche

h. ☐ un livre

i. ☐ une clé

4. Complète avec : *vieille, timbre, menaces, ensemble, poils.*

a. Papa n'aime pas la lettre de _____.

b. Nous allons chez la voisine. C'est une _____ dame qui habite seule.

c. Le chien de madame Germaine perd ses _____ parce qu'il est vieux.

d. Sur l'enveloppe de madame Germaine, il n'y a pas de _____, pas d'adresse.

e. Papa veut aller voir les autres voisins et parler _____ du problème.

C'est très joli, chez vous.

Chapitre 4

Entre voisins

M. et Mme Ledain arrivent les premiers chez mes parents. Ils ne connaissent pas la maison.

– C'est très joli chez vous, dit la dame, une personne de cinquante ans. J'aime beaucoup votre cuisine ; elle est moderne et très pratique. Et j'adore votre salon ! Il est très spacieux.

– Merci pour ces compliments, répond maman. Mon mari est architecte ; il aime les maisons agréables et pratiques pour la vie de tous les jours.

– Vous avez de la chance. Mon mari est journaliste. Il n'est pas souvent là. La maison ne l'intéresse pas. Il préfère les voyages.

– Vous voyagez beaucoup ?

– Moi ? Oh, non, jamais. Je déteste ça !

– Moi, j'aime les voyages, mais ça coûte cher. Une fois par an, nous visitons une ville d'Europe ; nous aimons beaucoup visiter les centres historiques.

spacieux : qui est grand.

compliments : félicitations. *Tu travailles bien à l'école. Tous mes compliments !*

avoir de la chance : être favorisé par les circonstances.

Quelqu'un sonne à la porte. C'est madame Germaine. Elle vient avec son chien. Elle ne peut pas vivre sans lui.

Puis vient la famille Berthier et les Vincent : les parents et leurs deux enfants. Un garçon et une fille. Ils ont mon âge. Ce sont **des jumeaux**. Nous nous connaissons bien, nous sommes dans la même classe.

– Salut Théo !

– Salut Matthieu. Comment tu vas ?

– Ça va. Et toi ?

– Moi aussi, ça va. Mais je n'aime pas cette histoire de chiens.

– Quelqu'un veut nous faire peur… dit Matthieu. Moi, je ne me sépare pas de mon chien.

– C'est qui, d'après toi ?

– Je ne sais pas !

– Moi, je crois que c'est un homme.

– Le vieux du bout de la rue ?

– Pourquoi pas ?

– Il a un chien, lui aussi.

– Il peut aimer son chien, mais pas les chiens des autres !

Les voisins sont maintenant tous là. Papa réunit les invités autour de la table du salon. Sur la table, il y a des verres d'eau, du thé et du café.

– Bonsoir à tous. Vous savez pourquoi vous êtes ici ce soir.

■ **des jumeaux** : frère et / ou sœur nés le même jour.

Quelqu'un veut nous faire peur…

Quelqu'un nous **dépose** des lettres. Des lettres anonymes. Contre nos chiens. Il veut peut-être les tuer. Pourquoi ? Je ne sais pas. Nos chiens sont calmes, ils n'aboient pas beaucoup, ils ne sortent pas de leur jardin. La situation est grave. Nous devons faire quelque chose.

    – Mais comment ? demande Mme Ledain. Nous ne savons rien.

    – J'ai mon idée.

dépose : met.

– Quelle est cette idée ?

– Cette nuit, je reste dans mon jardin.

Maman regarde papa avec surprise.

– Rester dans le jardin, toute la nuit ? Quelle idée ! dit-elle.

– Pourquoi pas ! dit M. Vincent. Et après ?

– Je reste dans le jardin avec les chiens.

– Nos chiens ? Et pour quoi faire ?

– Du bruit !

– Je comprends, dit Mme Ledain. C'est une bonne idée, mais c'est **dangereux**.

– Avec les chiens, je suis en sécurité. Mais je vous demande une chose : à partir de vingt-deux heures, je ne veux pas de lumière dans vos maisons. Il faut **faire croire** que tout le monde dort dans le quartier. C'est d'accord ?

– C'est d'accord, répondent ensemble les voisins.

dangereux : qui présente un danger, un risque.
faire croire : laisser penser que, donner l'illusion que.

Il faut faire croire que tout le monde dort dans le quartier.

1. Vrai ou faux ?

		V	F
a.	Le père de Théo est architecte.	☐	☐
b.	Le mari de Mme Ledain est journaliste.	☐	☐
c.	Mme Ledain voyage beaucoup.	☐	☐
d.	La mère de Théo aime les voyages.	☐	☐
e.	Elle aime visiter les centre-villes.	☐	☐

**2. Les parents de Théo invitent qui à la maison ?
Coche les bonnes réponses.**

a. La famille Ledain. ☐

b. La famille Berthier. ☐

c. Les Vincent. ☐

d. Les enfants de Mme Ledain. ☐

e. Les enfants de Mme Germaine. ☐

f. Mme Germaine. ☐

g. Le vieux monsieur. ☐

h. Les enfants des Vincent. ☐

**3. Que veut faire le père de Théo ?
Coche la bonne réponse.**

a. Il veut :

1. dormir dans le garage. ☐

2. dormir dans sa chambre. ☐

3. dormir dans le jardin. ☐

b. Les voisins sont :

1. d'accord. ☐
2. pas d'accord. ☐

c. Qui reste avec le père de Théo ?

1. Sa femme. ☐
2. Théo. ☐
3. Les chiens. ☐

4. Qui parle ? Relie.

a. Mon mari est architecte. ●

b. Quelqu'un veut nous faire peur. ●

c. Moi, j'aime les voyages, mais ça coûte cher. ●

d. C'est très joli chez vous. ●

e. Je n'aime pas cette histoire de chiens. ●

f. Mon mari est journaliste. ●

● maman

● Mme Ledain

● Théo

● Matthieu

Papa est dans le jardin, sous une tente.

Chiens et chats

Minuit. Le ciel est sombre. Il n'y a pas d'étoiles, pas de lumière. Il fait tout noir. Papa est dans le jardin, sous une tente. Il ne dort pas ; il attend. Moi, je regarde par la fenêtre. Je ne peux pas sortir.

Les chiens sont dans le jardin, avec lui. Ils sont cinq. Spoutnik, le vieux chien de madame Germaine, le gros chien de M. Vincent, le beau chien de Mme Ledain, le chien de garde de M. Berthier.

Papa attend, immobile. Les chiens aboient de temps en temps. Bientôt, je m'endors. C'est Papa qui me raconte la suite, le lendemain. Les heures passent, dit-il : deux heures, trois heures, quatre heures, cinq heures du matin. Rien. Pas un bruit dans la rue. Parfois, le chant d'un oiseau, le bruit d'un moteur au loin.

Tout à coup, un gros camion apparaît. Un camion à cette heure-là ? se demande papa. Les chiens aboient tous ensemble. Ouah ! Ouah ! Ouah ! Ouah ! Ils sont furieux,

---

étoiles : points blancs, astres qui brillent dans le ciel.

tente : dans un camping, il y a des véhicules spéciaux avec une cuisine, des lits… et aussi des tentes. *En été, il fait beau. Nous dormons sous la tente, dans le jardin.*

explique Papa. Le camion freine, s'arrête, puis repart. Il passe devant notre jardin, s'arrête de nouveau cinquante mètres plus loin.

    – Les ordures ! se dit Papa. Ils passent tous les jeudis au petit matin, vers cinq heures trente.

    Bientôt, le jour apparaît. Les chiens reviennent dans la maison de leurs maîtres. Papa doit se préparer pour le travail. Une douche, le petit déjeuner, des vêtements propres. Par curiosité, il regarde dans la boîte aux lettres. Il y a une enveloppe avec quelque chose à l'intérieur.

    « Du poison ! pense mon père. Je suis sûr que c'est du poison ».

    Papa réfléchit : « depuis cette nuit, je suis dehors, dans le jardin. Comment cette enveloppe… ».

    Soudain, il comprend : « mais bien sûr, ce sont eux » !

    – Qui, eux ? je lui demande.

    – Attends, tu vas comprendre…

    Il revient à la maison, parle à maman de sa découverte.

    – Tu crois que c'est possible ? lui demande-t-elle.

    – Il n'y a pas d'autre explication.

    – Mais, pour quelle raison ?

    – Nous allons bientôt le savoir.

---

freiner : ralentir, aller moins vite.

les ordures : les ordures sont les restes de repas : pelures de fruits, bouteilles vides, plastiques… les objets qui ne peuvent plus être utilisés. *Les gens mettent les sacs à ordures dans une poubelle.*

réfléchir : penser, faire usage de la réflexion.

Le camion freine, s'arrête, puis repart.

Quelques jours plus tard, les gendarmes arrêtent les coupables. Ce sont deux hommes. Ils ont entre trente-cinq et quarante ans. Le premier est petit, plutôt maigre et très nerveux. Le second est grand et fort. Ils font le même métier : éboueurs.

– Pourquoi ces lettres de menace ? demandent les gendarmes.

– Chaque semaine, les sacs-poubelles sont déchirés, dit le petit. Ce sont les chiens les responsables ! Nous, on

arrêter les coupables : retenir prisonnières les personnes qui font un délit, un crime.

éboueurs : personnes qui enlèvent les ordures.

les sacs-poubelles sont déchirés : les sacs à ordures sont arrachés en partie. *Le sac-poubelle est déchiré, toutes les ordures tombent par terre.*

passe, il y a des papiers, des boîtes, des objets en plastique partout sur la rue. Les gens racontent que nous ne faisons pas notre travail. Ce n'est pas notre travail. Notre travail, c'est de **ramasser** les ordures dans les poubelles, c'est tout !

    – On finit tard, vous savez, reprend l'homme fort. C'est à cause de ces chiens. Dans cette rue, il y a une dizaine de chiens. Les propriétaires ne pensent pas à nous. Ils ne nous voient pas. Quand nous passons, ils dorment.

    Papa est là, dans le bureau des gendarmes. Il écoute les deux hommes. C'est vrai, leur travail est difficile, mais il ne comprend pas leur réaction. Aujourd'hui, tout le monde sait qui sont les véritables responsables de ces sacs déchirés. Ce ne sont pas les chiens.

    – Alors qui ? demande l'homme fort.

    – Vous n'avez pas une petite idée ?

    – Ce sont les chiens ! insiste le petit.

    – Je vous dis que non : nos chiens ne sortent pas la nuit.

    – Alors qui ? demande, impatient, l'homme fort.

    – Les chats !

■ **ramasser :** prendre par terre et emporter.

Je vous dis que non : nos chiens ne sortent pas la nuit.

COMPRENDRE

1. Entoure les phrases correctes.

Dans le jardin, il y a le père de Théo :

a. il fait nuit.

b. il y a du bruit.

c. il y a cinq chiens.

d. il y a des chats.

e. il y a une tente.

2. Qui parle ? Relie.

a. Chaque semaine, les sacs-poubelles sont déchirés. ●

b. Pourquoi ces lettres de menaces ? ●

c. C'est à cause des chiens. ●

d. Je vous dis que non : nos chiens ne sortent pas la nuit. ●

e. Les propriétaires ne pensent pas à nous. ●

f. Les chats ! ●

● les gendarmes

● papa

● les éboueurs

3. Donne la bonne réponse à la question. Relie.

a. Qui sont les coupables ? ● ● les gendarmes

b. Qui découvre la vérité ? ● ● les chats

c. Qui déchire les sacs-poubelles ? ● ● le père de Théo

d. Qui interroge les deux hommes ? ● ● les éboueurs

4. Complète avec : *camion, coupables, éboueurs, boîtes aux lettres, tente, freine, sacs-poubelles.*

a. Papa est dans le jardin, sous une _____, avec les chiens.

b. Tout à coup, un gros _____ apparaît.

c. Le camion des ordures _____, s'arrête puis repart.

d. Le travail des _____, c'est de ramasser les ordures dans les poubelles.

e. Mais ils ne sont pas contents parce que les _____ sont toujours déchirés et tout est par terre.

f. Ils pensent que les _____ sont les chiens des gens qui habitent dans la rue.

g. C'est pour cette raison qu'ils jettent des pétards et des lettres anonymes dans les _____.

Imagine...

Un autre titre pour ce livre

_____

Réfléchis...

Finalement, qui sont les coupables : *les chiens ? les chats ? ou les éboueurs ?*

Qui trouve la solution du mystère : *Thomas ? son père ? la police ?*

Donne ton opinion...

a. Théo lit la lettre de menaces et va au commissariat. Tu crois qu'il a raison ? Qu'est-ce que tu fais dans la même situation ?

b. Avoir des animaux domestiques, c'est un problème, tu crois ? À la campagne, c'est plus facile qu'en ville ? C'est la même chose ?

Parle...

a. Tu aimes les histoires mystérieuses ?

Donne le titre d'un roman ou d'un film sur ce thème que tu aimes bien.

b. Tu préfères les chats ou les chiens ? Pourquoi ?

CORRIGÉS

pages 3 et 4
1. a. un garçon ; thé – o = Théo. b. de chiens.
4. a. Il est fidèle. — Il aime les os. — Son cri est « ouah, ouah ». ; b. Son cri est « miaou ». . — Il est indépendant. — Il aime le lait.

pages 12 et 13
1. a. douze ans ; b. une maison ; c. à treize heures trente ; d. un chien ; e. une explosion.
2. g – b – c – a – f – e – d
3. a. faux ; b. vrai ; c. faux ; d. faux ; e. vrai.
4. a. bus ; b. calme ; c. aboie ; d. fumée ; e. anonyme ; f. police ; g. tuer.

pages 20 et 21
1. a. au commissariat ; b. un agent de police ; c. seul ; d. son numéro de téléphone ; e. dans le garage.
2. a. l'agent de police b. Il déjeune, écoute de la musique et joue avec son chien ; c. Ils sont au travail ; d. non ; e. oui.
3. a. vrai ; b. vrai ; c. faux ; d. vrai ; e. vrai.
4. a. l'agent de police ; b. l'agent de police c. Théo ; d. l'agent de police ; e. Théo ; f. l'agent de police ; g. Théo.

pages 28 et 29
1. a. chez la voisine d'en face ; b. une vieille dame ; c. des enfants ; d. gentil.
2. a. le vieux monsieur ; b. Mme Germaine ; c. Mme Germaine ; d. Mme Germaine ; e. le chien de Mme Germaine ; f. le vieux monsieur.
3. b – d – e – g
4. a. menaces ; b. vieille ; c. poils ; d. timbre ; e. ensemble.

pages 36 et 37
1. a. vrai ; b. vrai ; c. faux ; d. vrai ; e. faux.
2. a – b – c – f – h
3. a. 3 ; b. 1 ; c. 3

N° d'éditeur : 10168756 - Dépôt légal : avril 2010
Imprimé en France par CPI France Quercy
46090 Mercuès - N° d'imprimeur : 00617c

4. a. maman ; b. Matthieu ; c. maman ; d. Mme Ledain ; e. Théo ; f. Mme Ledain

pages 44 et 45
1. a – c – e

2. a. les éboueurs ; b. les gendarmes ; c. les éboueurs ; d. papa ; e. les éboueurs ; f. papa.

3. a. les éboueurs ; b. le père de Théo ; c. les chats ; d. les gendarmes.

4. a. tente ; b. camion ; c. freine ; d. éboueurs ; e. sacs-poubelles ; f. coupables ; g. boîtes aux lettres.

CORRIGÉS